CÉDRIC

Roulez, jeunesse !

RETROUVEZ

DANS LA BIBLIOTHÈQUE ROSE

Moi, j'aime l'école

Mon papa est astronaute

La fête de l'école

Roulez, jeunesse !

CÉDRIC

CAUVIN - Laudec

Roulez, jeunesse !

Adaptation : Claude Carré

HACHETTE

1

Roulez, jeunesse !

C'est dingue ce qu'on peut faire par amour. Pour Chen, je pourrais monter au sommet de l'Himalaya, traverser l'Atlantique à la nage, je pourrais même devenir le premier de la classe ! J'suis prêt à tout… D'ailleurs, c'est par amour pour elle que je me suis mis au skate-board.

Il faut dire que Nicolas, mon ennemi fidèle, m'y a un peu forcé. J'étais en train de jouer aux billes dans le parc, avec Manu et Julien, lorsque Christian est arrivé en courant. Il m'a appelé plusieurs fois, d'un air catastrophé, comme si un train venait de dérailler dans mon jardin. Il a fait :

« Cédric !… Cédric !… CÉDRI-QUEU !!!

— Oui, quoi ?

— Nicolas a un nouveau skate-board ! »

Je n'ai pas tout de suite compris ce qu'il y avait de si terrible. J'ai dit :

« Ouais, eh ben ?

— Eh ben ?… Il est en train d'é-pater Chen avec… »

Il ne faut jamais me dire des choses comme ça lorsque je suis en train de jouer aux billes. J'ai tiré trop fort, ma bille est allée rebondir contre celles de Julien et a fini sa

course pile dans l'œil de Manu. Manu a crié quelque chose mais je n'ai pas entendu quoi. J'étais déjà loin, courant vers l'autre bout du parc. Dans mon dos, j'entendais Christian qui essayait de me suivre et qui faisait :

« Mince de mince de mince… »

Je les ai vus tout de suite. Sophie, Nathalie et Chen étaient dans le parc en train de regarder Nicolas qui faisait le fier devant elles. Il avait son skate à la main, un skate tellement neuf qu'il brillait au soleil. Comme d'habitude, il était ridicule, mais n'empêche, les filles étaient bouche bée devant lui !

« Crédidjû de crédidjû ! » ai-je murmuré d'une voix tremblante de rage, à la manière de pépé.

Nicolas faisait sa parade, en gonflant la poitrine ; il décrivait sa planche avec tellement de détails qu'il devait en inventer la moitié.

Il disait :

« Il n'est pas mal, n'est-ce pas, ce skate ?… Hmm, normal, mon père me l'a rapporté de Hong-Kong… Fibre de verre avec double roulement à billes et barre latérale anti-tangage… La technologie spatiale, quoâââ ! »

Je ne pouvais pas en entendre plus sans réagir. Je suis venu me glisser entre Nicolas et les filles. Enfin… plus exactement entre Chen et Nicolas. Pour dire la vérité, je ne

savais pas trop quoi lui raconter, à
Chen : c'est dur de passer juste après
la technologie spatiale.

« Heu… Chen… Tu veux venir
jouer… aux… aux billes avec moi ? »

J'ai aussitôt senti que je ratais mon
coup. Chen m'a souri, mais en
même temps, elle s'est un peu
déplacée sur le côté parce que je lui
bouchais la vue. Elle a dit:

« C'est gentil à toi, Cédric, mais je
préfère regarder Nicolas faire du
skate-board. »

La honte absolue, l'échec total, le bide complet. La tête basse, je me suis éloigné, suivi par Christian, la tête basse, lui aussi. Évidemment, après, il ne s'est plus senti, l'autre, là, le Nicolas d'Aulnay des Charentes du Ventou, avec sa planche inter-sidérale ! Il s'est élancé, en criant :

« Attention, les filles ! Pour commencer, une figure très difficile ! À Hong-Kong, on appelle ça la charrette renversée... »

Il a pris de la vitesse, et s'est dirigé vers nous. Moi, j'ai trouvé qu'elle mettait du temps à se renverser, sa

charrette. Alors, pour l'aider un peu, j'ai pris toutes les billes qui étaient au fond de mes poches, et je les ai lancées sous ses roues. Nicolas a perdu l'équilibre, il a plusieurs fois battu l'air de ses bras, et a fait un vol plané avant d'atterrir à plat ventre quatre mètres plus loin.

Je ne sais pas pourquoi, les filles ont tout de suite pensé que c'était ma faute. Chen s'est précipitée vers Nicolas, tout en me jetant des regards furieux :

« Ooooh, Cédric !!! »

Même Christian a ouvert de grands yeux. Il a secoué sa main de haut en bas, en disant :

« Ben toi alors ! »

J'ai haussé les épaules ; au moins, grâce à moi, elle était réussie, sa figure acrobatique !

Me faire repousser par Chen, comme ça, devant tout le monde, c'était dur. Des mois et des mois de séduction sabotés par l'ignoble Nicolas ! Je devais réagir ! Mais j'avais aussi compris quelque chose d'important : en prenant la défense de Nicolas, Chen me lançait un appel :

« Mais qu'est-ce que tu attends, toi aussi, pour faire du skate !? » Oui, c'était très clair… Et je ne devais à aucun prix la décevoir, ma petite perle d'Asie ! J'étais bien décidé à obtenir un skate, coûte que coûte !

C'est avec cette ferme résolution que je suis allé trouver maman. Mais

sa réponse a été ferme, elle aussi :

« Non, Cédric !

— Mais… maman !

— N'insiste pas ! Ton père ne veut pas. Tu le connais : quand il a dit non, c'est non. »

Justement, c'était bien pour ça que j'étais venu lui parler, à maman ! Pour qu'elle essaie de le convaincre… Mais rien à faire ; parfois, les parents sont aussi insensibles que des murs de glace. Alors, je suis allé me traîner jusqu'à la salle à manger.

Je me suis approché de la fenêtre, j'ai soulevé un bout de rideau, et j'ai regardé tristement tous ces enfants heureux qui passaient sur le trottoir devant la maison, sur des skate-boards rapides comme l'éclair.

Derrière moi, au bout d'un moment, j'ai entendu pépé toussoter :

« Hum-hum… Quelque chose ne va pas, gamin ?

— Je veux un skate-board. Tous mes copains en ont, et pas moi.

— C'est pour ça que tu fais cette tête ! » s'est-il exclamé.

De la cuisine, maman a ajouté :

« Ton père dit que c'est cher et dangereux ! Tu le sais très bien ! »

C'était totalement absurde. Je me suis tourné vers la cuisine et j'ai crié :

« C'EST PAS DU TOUT VRAI !!! Et puis qu'est-ce qu'il en sait, papa ? Il n'est jamais monté dessus ! »

Pépé a semblé impressionné par la colère qu'il avait sentie dans ma voix ; il m'a interrogé :

« Hum… Au fait, c'est quoi, ça, un… squelette-borde ? »

Je l'ai regardé comme s'il tombait de la lune :

« Une planche à roulettes ! »

Il a eu l'air surpris:

« Une planche à roulettes ? C'est tout ?

— Ben oui ! »

Il s'est gratté la tête un moment, comme s'il avait une idée qui le démangeait, et il a voulu en savoir plus :

« Et… c'est grand comment ? »

J'ai essayé de lui montrer en écartant les deux mains d'une cinquantaine de centimètres.

Alors il s'est levé, les sourcils froncés, et il s'est dirigé droit vers la porte. Maman, qui arrivait au même moment, avec sa planche à repasser lui a demandé :

« Papa, où vas-tu comme ça ? »

Sans se retourner, il a fait :

« Dans l'atelier ; je vais bricoler un peu… »

C'est bien son genre, à pépé, de faire des mystères, comme ça. J'ai

essayé de le suivre, mais une fois dans l'atelier, il s'est enfermé à double tour. J'ai attendu un peu. De grands bruits s'échappaient régulièrement de la pièce. Qu'est-ce que pépé pouvait bien faire là-dedans ? J'ai fini par frapper à la porte entre deux séries de coups de marteau:

« TOC TOC TOC !… Euh… pépé ? Qu'est-ce que tu fais ?

— Tu le sauras dans un quart d'heure, gamin ! »

En l'attendant, je suis retourné dans la maison. Le cœur gros, je suis allé m'asseoir dans la cuisine avec

maman, et j'ai rouvert une B.D. que j'avais déjà lue trente fois, et je les ai entendus repasser, tous mes copains. Il filaient comme des fusées sur leurs planches à roulettes-turbo.

Un quart d'heure après, comme promis, pépé revenait.

« Cédric, tiens ! J'ai quelque chose pour toi ! »

Il me tendait un gros paquet, qu'il avait maladroitement ficelé. J'adore les cadeaux. Je me suis remis sur pied d'un seul bond.

« Pépé, t'es vraiment trop génial ! »

J'ai ouvert le paquet. Quand j'ai découvert ce qu'il y avait dedans, j'ai eu une sorte de hoquet. Bon, en même temps, c'était un peu de ma faute, j'a-vais tellement embêté tout le monde avec mon histoire de skate, que ça me pendait au nez, un truc comme ça ! Et puis c'était plutôt sympa de la part de pépé. Alors, pour ne pas le vexer, je suis allé l'essayer, son truc.

Je n'ai jamais eu autant honte de ma vie. Déjà, quand mes copains l'ont vu, ils se sont tellement bidonnés que j'ai failli leur lancer à la tête. Mais c'est après, quand j'ai voulu monter dessus, qu'ils se sont le plus fichus de moi. Ils en pleuraient de rire, allongés par terre ; ils ne pouvaient même plus se relever. Pourtant, j'avais bien réussi à tenir dessus deux minutes au moins, le

temps que la première roulette saute, que la deuxième s'envole, que la troisième s'écrase et que la planche bricolée par pépé se fende en deux par le milieu.

Du coup, je me suis retrouvé sur les fesses, comme un imbécile, au milieu du trottoir. C'est dans cette position que papa m'a trouvé en rentrant du boulot : il venait juste de tourner le coin de la rue, en voiture, et manœuvrait pour rentrer dans le

garage. Quand mes copains l'ont vu,
ils ont déguerpi en me lançant une
ou deux dernières blagues. J'étais
effondré. J'ai pris sous mon bras ce
qui restait du skate à la mode pépé
et je suis passé près de papa en traî-
nant les pieds et en disant :

« Salut, p'pa… Bonne journée ?… »

De me voir comme ça, je crois que
ça l'a tout retourné. Dans la soirée,
je l'ai entendu discuter avec maman,

dans la cuisine. Du salon, pépé et moi, on entendait des bouts de leur conversation. Papa disait :

« Mais enfin quelle idée ! Les roulettes de la vieille table de télé... Il aurait pu avoir un accident !... »

Et maman répliquait :

« Si tu lui en avais acheté une neuve, en temps voulu, ça ne serait pas arrivé ! »

Bref, pépé ronchonnait derrière son journal, un peu fâché, mais moi je sentais que je n'allais pas tarder à avoir une bonne surprise...

Effectivement, dès le lendemain soir, papa est rentré à la maison avec un skate de course, flambant neuf, pneus larges, anti-dérapants et tout le bazar. Curieusement, c'est pépé qui a été le plus contrarié ; dans son coin, il a bougonné :

« Pourquoi aller mettre des fortunes dans ces engins alors qu'on peut les fabriquer soi-même ! »

Papa, lui, pour aller au-devant des critiques, a dit :

« Eh oui, j'ai changé d'avis! Et alors ? Ce sont les imbéciles qui ne changent pas d'avis, non ? »

Tout allait comme sur des roulettes, donc. Et maintenant que j'avais l'outil, il ne me restait plus qu'à montrer à Chen de quoi j'étais capable… On a commencé à s'entraîner, Christian et moi, le soir après la classe. Sans me vanter, j'apprenais assez vite ; et même si je ne connaissais pas encore toutes les

techniques, c'était largement suffi-
sant pour épater les filles !

Un soir, on les a vues qui faisaient
de la corde à sauter, au beau milieu
d'un trottoir : Sophie, Nathalie et
Chen. Avec Christian, on a échangé
un clin d'œil, on a pris de l'élan sur
nos planches et on a foncé vers elles.
J'ai lancé :

« Eh, les filles, vous voulez voir un
as du skate-board ? »

Elles se sont retournées, surprises de me voir arriver vers elles à une telle vitesse. J'ai continué à la même allure, en visant le tout petit espace libre entre elles et j'ai crié :

« BANZAÏ ! »

Je me sentais fort, beau et courageux, j'étais trop impressionnant. Christian, lui, faisait un peu moins le fier derrière moi ; je l'ai entendu qui me criait :

« Cédric, je te rappelle que tu ne sais pas freiner ! »

Mais c'était trop tard ; comme une fusée, je suis passé entre les filles, en

les frôlant. Elles se sont écartées au dernier moment.

« Idiot, va ! a dit l'une d'elles.

— Ils sont fous, ces garçons ! » a protesté une autre.

Tout en continuant à filer, je me suis tourné vers elles, avec un grand sourire :

« Alors, les filles, extra, hein ? »

C'est juste après, en me remettant dans le bon sens, que j'ai vu le gros tas de poubelles. Je n'aurais jamais pensé qu'on puisse réunir autant de poubelles en un seul endroit, ni surtout qu'elles puissent se jeter comme ça sur des promeneurs innocents ! Je leur suis rentré dedans sans avoir le temps de dire « ouf », à deux cents à l'heure.

« BLAAAANG !!! »

Toutes, elles se sont toutes renver-
sées, les poubelles. Quand le va-
carme a enfin cessé, j'ai entendu
une voix de fille ricaner :

« Hi hi ! C'est bien fait pour lui ! »

Mais ce n'était pas la voix de
Chen. Aussitôt après, c'est celle de
Christian que j'ai entendue :

« CÉDRIC ! CÉDRIC ! »

Il se précipitait à mon secours. J'ai
essayé de remuer les bras et les
jambes, et j'ai eu un peu peur parce

que je n'y suis pas arrivé tout de suite. En fait, j'étais enseveli sous un tas d'ordures. Christian m'a tiré par le bras.

« Ça va ? Rien de cassé ? »

Je n'avais rien de grave mais j'étais sacrément vexé ; me rendre ridicule comme ça, devant un groupe de filles et devant Chen, c'est trop terrible. J'ai fait, en me relevant :

« Nan. »

Mais il insistait :

« T'es sûr ? »

La moutarde commençait à me chatouiller sérieusement les narines :

« Ouais ! Ça va, j'te dis ! »

C'est quand j'ai été complètement debout qu'il a fait sa tête effarée. Il regardait dans mon dos, en baissant les yeux. Je me suis retourné mais je ne voyais rien. Je lui ai dit :

« Quoi, encore ?

— Ton pantalon, il est… »

Alors, j'ai mieux regardé et je me suis rendu compte de la catastrophe : il y avait un grand trou dans mon pantalon, juste au niveau des fesses.

Je me suis senti devenir tout mou des genoux. Déchirer mon pantalon juste à cet endroit-là, alors que le groupe des filles était en train de se diriger vers moi, c'était la pire chose qui pouvait m'arriver ! J'ai bredouillé :

« Qu'est-ce que je vais faire ? Il ne faut pas que les filles me voient comme ça… Fais quelque chose, Christian, vite !!! »

Mais c'était déjà trop tard. Sophie s'arrêtait en face en moi, l'air moqueur :

« Cédric, ça va ? » m'a-t-elle demandé.

Et Chen a relancé :

« Tu ne t'es pas fait mal ? »

J'ai essayé de me serrer du mieux que je pouvais contre Christian, tout en me collant maladroitement un couvercle de poubelle dans le dos ; mais je n'allais pas pouvoir tenir longtemps dans cette position. J'ai vaguement répondu :

« Heu, non-non… je… »

Alors Christian m'a soufflé à l'oreille :

« Attends, j'ai une idée ! »

Il a posé les mains sur mes épaules, et s'est collé contre mon dos comme pour une mêlée de rugby. Il a fait :

« Ne vous inquiétez pas, les filles, tout va bien ! »

Et il s'est mis en marche, en me poussant dans le dos et en chantant à tue-tête :

« À-À-À la queue leu-leu ! Tout le monde s'éclate, à la queue leu-leu ! »

Je venais de comprendre son idée : on allait avoir l'air ridicule, mais pas autant qu'avec les fesses à l'air ! Alors, j'ai chantonné à mon tour, sur le même air : « Euh oui-oui... C'est ça... : À-À-À-À la queue leu-leu ! Tout le monde s'éclate, à la queue leu-leu... »

On est partis comme ça, en se dandinant bêtement, l'un derrière l'autre et sans cesser de chanter. Elles en sont restées toutes surprises, les filles. On a entendu Adeline dire aux deux autres :

« Franchement, vous ne les trouvez pas bizarres, parfois, les garçons ? » On a fait les andouilles comme ça, jusqu'au coin de la rue. Christian a

presque été étonné quand je me suis dégagé et que j'ai arrêté de chanter. Il a dit :

« Ben… On joue plus ? »

Je me suis retourné vers lui avec l'air mauvais, et les mains plaquées sur les fesses :

« Parce que tu crois vraiment que j'ai envie de jouer, imbécile !!! »

Bonjour la honte ! J'avais sauvé la face, d'accord, mais comme tentative de séduction, c'était le bide complet ! Ce n'était plus la peine d'essayer de faire le malin devant les filles ; le skate, il fallait juste en faire entre copains. J'avais presque abandonné l'idée de séduire Chen avec une planche quand, deux jours plus tard, un miracle est arrivé. Un miracle à couettes et aux petits yeux malicieux.

« Youhou !… Cédric ! »

Christian et moi, on essayait de nouvelles figures sur le trottoir devant chez lui, lorsque la voix de Chen nous a fait sursauter. Elle est venue se planter devant moi, toute souriante, et m'a demandé :

« Dis, tu m'apprends à faire de la planche à roulettes ? »

Je ne peux rien refuser à Chen quand elle me demande quelque chose en souriant. Quand Chen me sourit, même le ciel le plus sombre devient lumineux.

« Ben… Euh… »

Christian, lui, ne comprend pas ces choses-là ; il m'a donné un coup de coude et m'a glissé:

« Te laisse pas avoir, c'est pas un truc pour filles, ça ! »

Dans un sens, il n'avait pas tort. Voyant que j'hésitais, il a continué :

« Et puis, c'est un sport dangereux ! Elle pourrait se blesser ! »

Je me préparais à dire quelque chose lorsque Chen nous a brusquement tourné le dos. Elle a dit, en repartant :

« Bon, tant pis, je vais aller voir Nicolas, il va m'apprendre, lui… »

J'ai bondi, je l'ai rattrapée par le bras, et je l'ai tout de suite calmée :

« O.K., je vais t'apprendre ! »

Voilà comment a débuté l'un des plus doux moments de mon existence ; pendant peut-être au moins une heure, j'ai tenu Chen dans mes bras. C'est normal, pour les premières leçons, il valait mieux qu'elle soit soutenue. Je lui disais d'abord:

« Mets ton pied là… Très bien… À l'autre, maintenant… Paaarfait ! »

Après, je lui disais tout bas :

« Tiens-moi bien fort, surtout ! Voilà, comme ça, très fort ! »

Et elle faisait :

« Houps ! », tout en battant des bras. Comme elle n'arrivait pas vraiment à tenir debout sur la planche, j'ai été obligé de la rassurer :

« T'en fais pas, Chen, on va encore essayer, on peut pas tout savoir du premier coup, non plus ! »

Une fois de plus, elle s'est accrochée à moi.

« Me... me lâche pas, hein ? »

J'ai resserré un peu plus fort mes mains autour de sa taille.

« T'inquiète pas pour ça ! »

On a donc recommencé des dizaines de fois, jusqu'à ce que Christian, qui était resté assis dans un coin, finisse par soupirer :

« Laisse tomber, Cédric, elle n'y arrivera pas ! »

D'abord, je n'ai pas fait attention à ce qu'il avait dit, mais Chen, elle, a tout de suite perdu sa concentration. Elle a secoué la tête.

« Christian a raison, je préfère abandonner. »

Et elle est partie brusquement, sans se retourner, nous laissant seuls, ma planche et moi, au milieu du trottoir. Après un moment de panique, je me suis lancé à sa poursuite :

« MAIS NON, CHEN, REVIENS ! »

Elle a haussé les épaules, sans ralentir le pas. Elle avait même l'air un peu fâché ; j'ai encore tendu la main pour la retenir, mais elle ne l'a même pas vue. Elle a encore dit :

« Si, crois moi, ça vaut mieux. »

Je suis resté là, immobile, la tête

basse. Quelques instants plus tard, Christian m'a rejoint. Il ne le savait pas encore, mais je l'aurais bien étranglé. Il a hoché la tête, et en prenant son air de gros malin, il a susurré :

« Tss tss tss... tss tss tss... Ah, les filles ! J'te jure ! »

Je me suis tourné brusquement vers lui, et j'ai crié :

« NON MAIS DE QUOI JE ME MÊLE !!! »

Après avoir eu l'air surpris, il n'a pas tardé à me répondre, sur le même ton :

« Enfin, t'as bien vu ! Elle n'a même pas réussi à faire un mètre sur ton skate! »

Non seulement je l'aurais étranglé, mais je crois que j'y serais allé encore plus fort qu'avec Nicolas. J'ai hurlé, du fond de mes poumons:

« C'EST NORMAL, ABRUTI !

C'EST MOI QUI LA RETENAIS ! »

Ça lui en a bouché un coin. Il m'a regardé avec des yeux encore plus ronds que d'habitude :

« Tu… Tu faisais exprès de la retenir ? a-t-il bégayé. Oh ben toi, alors ! Mais… mais comment voulais-tu que je devine ? »

C'est ça, le problème avec Christian. Dans le fond, il est sympa, mais il ne comprend rien à certaines choses qui se passent entre les filles et les garçons. J'étais dans un

terrible état de désespoir total :

« Il fallait faire un effort, Christian ! Tu viens de briser l'un des plus beaux moments de ma vie... Imbécile ! »

Puis je me suis assis sur place, et j'ai posé ma planche contre le mur.

C'est vrai que ce moment de pur bonheur avait été court... Mais si fort ! Quand je serrais Chen contre moi, je sentais passer un courant de 12 000 volts entre nous ! La passion, quoi ! Il peut toujours essayer de s'aligner, le Nicolas, avec son skate en

fibre de machin-truc spatial !
Euh... le seul petit problème, maintenant, ce sont ses nouveaux rollers,
que son père vient de lui rapporter
d'Amérique. Il va falloir que je
demande à papa de m'en offrir
aussi... Pour ça, je vais peut-être
devoir rapporter un bon bulletin...

Ah, qu'est-ce qu'il ne faut pas
faire, comme sacrifices, quand on a
huit ans !

2

Blessure d'amour

Il y a des situations, dans la vie, où on a du mal à garder la tête haute. Pas facile d'avoir l'air digne et la voix ferme quand on vient, par exemple, de se crasher en vélo. Mais c'est une question d'habitude. D'abord, on a envie de pleurer et puis quand on relève la tête et

qu'on voit que les filles nous regar-
dent, on se dépêche de trouver un
sourire.

Ces derniers temps, je n'ai pas eu
trop de chance à ce niveau-là. La
semaine dernière, je passais par le
parc lorsque j'ai entendu, de loin,
le groupe des filles qui riait sur
l'aire de jeux. Je me suis approché,
l'air de rien. Elles étaient en train
de se pousser à tour de rôle sur la
balançoire. Chantal était dessus et
Sophie la poussait, de toutes ses
forces. Chantal a crié :

« Arrête, Sophie, j'ai la tête qui tourne ! »

Alors Sophie s'est accrochée aux cordes et a ralenti l'engin. En descendant, Chantal a dit à Chen :

« À toi, maintenant ! »

C'est là que je suis intervenu. Je me suis raclé un peu la gorge et j'ai pris ma voix la plus grave :

« Un instant ! »

Je me suis approché un peu plus, j'ai écarté Chantal d'un geste de la main, j'ai agrippé les cordes de la balançoire et j'ai dit :

« Dégagez, les filles ! La poussette, c'est un travail d'homme… »

Impressionnée, Chen est venue s'installer délicatement sur la planche en bois. J'ai préféré la prévenir :

« Tiens-toi bien, Chen ! Ça va secouer ! »

J'ai reculé au maximum, j'ai monté la balançoire très haut au-dessus de ma tête, j'ai tout lâché, et j'ai crié :

« C'EST PARTI, MON KIKI ! »

Chen a été propulsée dans les airs. Quand la balançoire est revenue vers moi à toute vitesse, je me suis écarté et j'ai surveillé la suite des événements. Il ne fallait pas non plus que Chen soit en danger. J'étais prêt à intervenir, à bondir au premier S.O.S. Mais elle avait le cœur bien accroché, ma petite princesse d'Orient. Elle riait, tout en demandant sans arrêt :

« Hi hi hi, plus haut, encore !!! Plus haut, Cédric ! »

Même ses copines étaient épatées :

« Whaouuuu !!! Bravo, Cédric ! »

Et puis tout s'est déréglé. Une voix bien connue a retenti dans mon dos, au moment où je m'y attendais le moins.

« Hé ! Cédric ! »

C'était Christian. Je me méfie toujours quand Christian intervient au moment où je suis avec Chen. En général, ça se finit toujours mal. J'ai tourné la tête vers lui d'un air agacé :

« Qu'est-ce que tu veux ? »

Il a commencé à répondre quelque chose et puis une grimace horrifiée est apparue sur son visage.

« Je… »

C'est tout ce que j'ai entendu parce qu'au même moment, une balançoire à réaction est venue m'exploser en plein visage : KLOPS !!!

Après, il y a eu un grand trou noir. Je me rappelle juste avoir vu tourbillonner plein d'étoiles, et j'ai trouvé ça bizarre parce qu'on était en plein jour. C'est seulement quand j'ai commencé à me relever que j'ai compris que j'étais tombé ;

j'avais été projeté à cinq mètres de
là, dans un massif de fleurs.

Un brouillard terrible était
tombé sur le parc. Je reconnaissais
bien les têtes de Chen, de Sophie et
de Christian, qui me regardaient
avec des sourcils froncés, mais j'a-
vais du mal à comprendre ce qu'ils
disaient :

« On dirait qu'il ne se sent pas bien.

— Pas bien du tout, même. »

Je tenais à peine debout et c'est Christian qui me soutenait. Même la voix de mon trésor de Chine semblait venir d'un autre monde :

« Cédric, c'est moi, Chen… Si tu me reconnais, fais-moi un signe… »

À vrai dire, j'avais la mâchoire à

moitié décrochée, et ça me faisait un mal de chien. Quand j'ai commencé à y voir plus clair, j'ai compris que j'aurais l'air ridicule si je me remettais à parler tout de suite ; alors je n'ai rien dit. Christian n'en revenait pas.

« BEN MINCE DE MINCE, IL NE RECONNAÎT MÊME PLUS CHEN !

— J'ai jamais vu ça ! » s'est étonnée Sophie.

Christian, qui n'est jamais en retard d'une histoire, a démarré au quart de tour :

« Moi, si, une fois à la télé… C'était dans *Le retour du mutant*. Enfin, un truc comme ça. »

Le plus dur, pour moi, a été de ne pas pouvoir prendre Christian à la gorge et lui dire de se taire. J'ai dû tout supporter, jusqu'au bout, toujours à moitié effondré dans ses bras.

« Même que le gars, a-t-il conti-

nué, on lui avait fait boire du sérum
de bave de crapaud exposée au
rayonnement atomique du glouto-
nium 421, et qu'après ça, il ne se
sentait pas bien du tout.

— Tu crois que Cédric est un
mutant ? » a demandé Sophie.

Celle-là, on lui ferait avaler n'im-
porte quoi. Et Christian, pour une
fois qu'il pouvait se rendre intéres-
sant, n'a pas hésité :

« Va savoir… »

Comme mutant amputé de la cer-
velle, il était champion, Christian :

a-t-on idée de venir distraire quelqu'un qui est en train de pousser
une balançoire à huit cents kilomè-
tres à l'heure ? Heureusement je
pouvais compter sur Chen ; elle s'est
penchée sur moi, toute émue, en
disant :

« En attendant, on ne peut pas le
laisser comme ça… Sophie, viens
m'aider ! »

Cet animal de Christian s'est
interposé :

« Non, laissez les filles, c'est une affaire d'homme. Je m'en occupe. »

Christian m'a pris par-dessous les bras et il m'a fait avancer comme il a pu, en soufflant parce que je m'étais fait lourd comme une dizaine de Cédric.

« Je vais le reconduire chez lui », a-t-il soupiré.

Et il m'a entraîné. Sur tout le chemin, j'ai marché comme un somnambule.

Mes parents, ça leur a fichu un coup, quand je suis rentré dans cet état-là. Papa est devenu tout pâle.

« NOM DE NOM, CÉDRIC ! »

Maman, elle, m'a vite fait asseoir dans le canapé, et a interrogé Christian :

« Mais qu'est-ce qu'il lui est arrivé ? »

Alors Christian leur a tout expliqué : la balançoire, le coup dans la mâchoire, le choc, tout.

Même que ça ne les a pas rassurés ; quand Christian raconte, ce n'est jamais rassurant. Trois fois, au moins, il s'est jeté par terre pour leur montrer comment j'étais tombé. Je ne sais pas ce qu'il fera plus tard, Christian, mais à mon avis, comme réalisateur de films-catastrophe, il sera très fort. Voyant que mes parents étaient passionnés par ce qu'il disait, il en a rajouté, une fois de plus :

« Le bruit que ça a fait, quand la

balançoire lui est rentrée dans la tête… Vous auriez entendu ça ! Le pauvre ! Ça doit être tout cassé, là-dedans. »

À la fin, il s'est approché de maman qui me passait un gant mouillé sur le visage, et il a fait, en me désignant :

« Vous croyez qu'il va rester comme ça, m'dame ? »

Papa a fini par le mettre dehors ; il m'a monté dans ma chambre, m'a mis au lit et maman a appelé le docteur Lajot. Le docteur m'a exa-

miné, en détail. Il m'a fait tout un
tas de tests et quand mes parents lui
ont demandé ce que j'avais, il a
haussé les épaules :

« En fait, je ne vois là rien de très
grave… Le choc lui a peut-être causé
un léger traumatisme crânien… »

Il commençait déjà à ranger ses

instruments dans sa trousse. En sortant de la chambre, il les a quand même mis en garde :

« Ceci dit, surveillez-le : en cas de vomissements, de troubles de la vue, ou de maux de tête, n'hésitez pas à me rappeler. »

Et puis tout le monde m'a laissé.

Un grand silence est retombé sur la maison. J'avais toujours la mâchoire douloureuse, mais ça commençait à aller mieux. Je repensais au moment du crash, et à l'impression que ça m'avait fait. J'étais sur le point de m'endormir lorsque doucement, sur la pointe des pieds, pépé est entré. Il s'est penché sur moi, mais je n'ai pas bougé. C'est lui qui a pris la parole, au bout d'un moment ; il a dit :

« Salut, gamin ! »

Il a laissé passer un temps, puis il a poursuivi :

« Oh, je sais bien ce que tu ressens. Moi aussi, un jour, j'ai voulu épater la galerie. Enfin, ta grand-mère, surtout. Montrer que j'étais un homme, un vrai. »

Je faisais celui qui n'entendais pas mais je ne perdais pas une miette de ce qu'il racontait. Il est allé vers la fenêtre, et il a écarté le rideau, comme s'il cherchait à voir plus clair dans ses souvenirs. Il a raconté :

« Je ne sais pas ce qui m'a pris, j'ai voulu montrer que j'étais capable de faire le poirier, sur une chaise. Évidemment, je n'étais pas entraîné pour ce genre d'acrobatie. Résultat, tout s'est écroulé : la chaise, moi et mon honneur... »

J'ai retenu de justesse un petit rire. Pépé a agité sa main de haut en bas, en ajoutant :

« J'te dis pas la chute ! J'avais tellement honte, évidemment, que j'ai préféré me faire passer pour mort. »

Cette fois, je n'ai pas pu me retenir ; ma question est sortie toute seule :

« Pourquoi ? »

Pépé s'est retourné et m'a regardé avec un petit sourire. Il a hoché la tête et, en se rapprochant de mon lit, il a chuchoté :

« Pour qu'on ne se fiche pas de moi ! La peur du ridicule, tu comprends ! »

J'ai voulu hocher la tête moi aussi mais avec le crâne enfoncé dans l'oreiller, ce n'était pas facile. Pépé a repris :

« C'est qu'on a l'air idiot, hein, gamin ? »

En plein dans le mille ! Il est génial, pépé. Il avait tout de suite deviné que j'avais fait ça pour ne pas paraître ridicule aux yeux de Chen ! Quelques instants plus tard, je suis réapparu dans la salle à manger sous les yeux stupéfaits de mes parents.

« Cédric ! s'est écriée maman en se précipitant vers moi.

— Ben, qu'est-ce que tu fais là, toi, s'est étonné papa. Tu vas mieux ? »

Pépé a toussoté d'un air important, avant de déclarer :

« Oui, il est pratiquement guéri ! »

Et il est allé s'asseoir dans son fauteuil habituel, en feuilletant bruyamment les grandes pages de son journal. Papa et maman se sont échangé un regard étonné.

« Qu'est-ce qu'il a encore bien pu lui raconter ?

— Je l'ignore, Robert, je l'ignore ; en tout cas, c'était certainement très efficace ! »

Je leur avais flanqué une belle frousse, à tous. D'accord, ce n'était pas très sympa, mais en même temps, c'était ça ou passer pour une truffe devant Chen ! Il faut dire que pour Chen, je suis capable de tout ! Car, comme le dit pépé, quand on aime, il faut savoir souffrir. Je dois aimer beaucoup, parce qu'en ce moment, je les collectionne, les gamelles !

J'étais à peine remis de mon accident de balançoire que, quelques jours après, je me suis encore fait attaquer par un tas de poubelles. Pépé dit que c'est le destin qui s'acharne, qu'il faut plier sous les coups, que ça va bien finir par s'arrêter. Cette fois encore, Christian était avec moi ; je vais finir par me demander si ce n'est pas lui qui me porte la poisse. On était sur nos skates, en train de dévaler des trottoirs en pente, du côté du parc, et honnêtement, on allait si vite qu'on dépassait les voitures ! Un peu plus

loin, on a repéré Adeline et Chantal, qui sautaient à la corde. On est allés les frôler. Elles ont hurlé :

« AAAAAHHH ! »

J'ai lancé un petit clin d'œil à Christian:

« Hé hé hé, hé hé hé, tu as vu ça ! L'impression qu'on leur fait ! »

Il a commencé par sourire et puis tout de suite après, son sourire a disparu : il a regardé dans la direction du bas de la pente en essayant de me prévenir :

« Cédric, attention !! Ça recommeeeeence !!! »

Quand j'ai tourné la tête et vu ce qui m'attendait, j'ai juste eu le temps de faire :

« OOOooohhh… »

Et, une fois de plus, je me suis encastré pile dans un grand mur de poubelles. Je l'ai fait exploser et j'ai explosé avec. Elles le fai-

saient exprès, les poubelles, de se mettre là, juste sur ma trajectoire ! Christian est arrivé quelques instants après, il avait l'air tout retourné :

« Mince, quelle dégringolade ! »

J'ai réussi à me dégager de toutes ces ordures qui m'étaient retombées dessus, mais quand j'ai voulu me mettre debout, une très violente

douleur m'a traversé la jambe gauche.

« Aïe aïe aïe… »

Mon genou me faisait horriblement mal. Je n'arrivais plus à m'appuyer dessus. En regardant de plus près, j'ai constaté que mon pantalon était tout déchiré. Par le trou, on voyait la peau déchiquetée, et la chair à vif ! C'est ça qui m'a fait le plus mal :

« AÏE ! AÏE ! AÏEEEUUU !!! »

Christian a pris un air ennuyé :

« Dis-donc, qu'est-ce que ta mère va te passer comme savon ! Ton pantalon… T'as vu ton pantalon ? »

Celui-là, alors, comme patate, on ne trouve pas mieux ! Entre deux gémissements, j'ai réussi à lui dire :

« Et mon genou, crétin, tu as vu mon genou !!! »

Je suis rentré à la maison appuyé sur lui, encore une fois, et sautant à cloche-pied. Ils devaient commencer à s'habituer, chez moi, mais pour-

tant, ça les surprenait toujours.
Pépé a levé les yeux au ciel et
maman a crié, épouvantée :

« CÉDRIC ! Mais qu'est-ce que… »

Alors Christian a expliqué :

« Euh, voilà… Il est tombé et…
ben, c'est son genou qui n'a pas
tenu le coup. »

Je sentais toute ma jambe qui m'élançait, et je me mordais les lèvres pour ne pas pleurer. Maman s'est accroupie et m'a fait signe d'approcher :

« Viens me montrer ça. »

C'est l'un des pires moments de l'existence : quand les adultes se

mêlent de vouloir examiner nos écorchures. Comme si on n'avait pas déjà assez mal ! J'ai dit, la voix tremblotante :

« Je veux bien venir, mais tu ne me touches pas, hein ? »

Je me suis dirigé vers elle en boitillant. Dès qu'elle a vu les dégâts, elle s'est écriée :

« Mais tu saignes ! Enlève ton pantalon ! »

Enlever mon pantalon ? Le faire glisser le long de ma jambe, en accrochant au passage ma peau arrachée ? Elle ne parlait pas sérieusement !

« Jamais de la vie ! » j'ai protesté.

Et je me suis enfui à travers le salon, espérant m'échapper par la porte du jardin. Pas facile, de courir à cloche-pied. J'ai fait le tour de la grande table, j'ai dérapé autour du fauteuil de pépé, en prenant appui sur Christian et je me

suis élancé vers la porte. Le problème avec maman, c'est qu'elle est têtue ; elle m'a rattrapé vite fait.

« ENLÈVE TON PANTALON OU JE TE L'ENLÈVE MOI-MÊME ! »

J'étais si essoufflé que j'ai dû me laisser faire : elle m'a immobilisé d'une main, pendant que, de l'autre, elle faisait descendre mon pantalon. Elle a observé les dégâts et a déclaré :

« C'est bien ce que je pensais, la blessure n'est pas grave, mais il vaut mieux désinfecter. »

Et elle a été chercher la trousse à pharmacie dans le placard. Pépé et Christian se sont regardés avec un air douloureux et ils ont hoché la tête en soupirant. J'ai pleurniché :

« Gurps !!! Non, maman, pas ça !
— SI ! »

J'ai failli me jeter à genoux pour la supplier, mais je me suis souvenu à temps que l'un de mes genoux était inutilisable. Alors, je l'ai suppliée debout :

« NAAANNN ! J'veux paaaaas ! »

Maman est devenue toute rouge et s'est mise à hurler, plus fort que moi :

« TU VEUX QU'ELLE S'INFECTE, QUE TU ATTRAPES LA GANGRÈNE ET QU'ON TE COUPE LA JAMBE ? C'EST ÇA QUE TU VEUX ? HEIN ! »

Je ne savais plus quoi inventer, alors j'ai lancé une dernière plainte :

« ÇA VA FAIRE MAAAAAL !!! »

Au même moment, j'ai aperçu

Christian qui se faufilait dehors. Au début j'ai pensé qu'il ne tenait plus, qu'il avait le cœur trop sensible et se dépêchait de rentrer chez lui pour se jeter au lit et plonger la tête sous l'oreiller... Mais pas du tout. Un peu plus tard, c'est Chen qui m'a raconté comment il était venu les trouver, elle et tout le groupe de

filles. Il leur avait expliqué que j'é-
tais tombé, que c'était grave et
qu'on allait très certainement me
couper la jambe ! Pas étonnant que
Chen se soit inquiétée!

« CÉDRIC ! VIENS ICI ! »

Maman était toujours en train de
me courir après lorsque pépé, qui
était près de la fenêtre, a dit :

« Euh, Cédric, on dirait que ta
copine est devant la maison… Je la
fais entrer, ou bien… »

Je me suis arrêté net, toujours sur
un pied, au milieu du salon. J'ai fait :

« Qui ? Chen ? »

Maman ne m'a pas laissé le temps de
réaliser. Elle a répondu à ma place :

« Oui, bien sûr, on ne va pas la laisser dehors. »

Je suis allé me faire tout petit derrière le canapé et j'ai chuchoté, complètement paniqué :

« Mais maman ! Maman, je… je suis en slip !!! »

« Viens mettre ton peignoir », a-t-elle dit, en me tendant la main.

Je l'ai rejointe et on a tourné le coin du couloir, juste au moment ou pépé ouvrait la porte à Chen. On l'a entendu l'accueillir :

« Bonjour, Chen, tu es venue prendre des nouvelles de Cédric ? C'est gentil, ça. Entre, il arrive. »

Maman m'a aidé à passer mon peignoir et m'a traîné d'une main ferme vers le salon. Toute souriante, elle s'est adressée à ma jolie copine :

« Tu arrives au bon moment, Chen, on allait lui désinfecter sa blessure. »

Moi, je n'en menais pas large. J'étais content de voir Chen, bien sûr, mais si j'avais eu le choix, j'aurais préféré la voir à un autre moment, habillé normalement, avec deux genoux intacts, et sans la cruelle menace du désinfectant suspendue au-dessus de ma blessure !

« Euh ben… Bonjour, Chen… »

Je n'étais pas très à l'aise, mais pépé, lui, sait toujours trouver les mots qu'il faut dans les situations difficiles. Pendant que je présentais mon genou à maman, il a confié à Chen :

« Il sait que ça va piquer un bon coup, mais il le prend bien ; c'est un gamin courageux, tu sais ! »

Pile au même moment, le coton imprégné d'alcool est entré en contact avec la peau de mon genou. J'ai été traversé par un éclair de douleur, mais comme Chen était là, j'ai réussi à étouffer mon hurle-

ment. Et au lieu de l'affreuse grimace qu'on fait dans ces cas-là, j'ai
réussi à garder un pauvre sourire.
Maman, elle, était radieuse.

« Làààà, très bien, mon garçon…
On va passer au pansement, maintenant… Tu vois, ça ne valait pas la
peine d'en faire tout un drame. »

Je ne savais pas encore si j'allais
réussir à parler, mais j'ai pris le
risque :

« Qu… quel drame ? J'ai d-d-dit

quelque chose, moi ? »

Un peu plus tard, on est sortis, Chen et moi. J'avais la jambe raide, un gros pansement autour de mon genou et un pantalon propre. Parfois, je devais me mordre l'intérieur des joues pour ne pas crier. Chen me disait :

« C'est vrai que tu as été courageux, Cédric… »

Alors je souriais d'un air détendu. Enfin, presque détendu. Un peu plus loin sur le chemin, Chen m'a regardé attentivement et m'a demandé :

« Tu n'as plus mal, au moins ? On

dirait que tu boites un peu... »

Non seulement j'avais encore mal mais c'était comme si on me passait le genou au chalumeau.

« Moi ? ai-je fait l'air étonné. Non, pas du tout. »

Et puis comme j'ai grimacé au même moment, j'ai précisé :

« Enfin, si... Mais juste un peu, quand j'appuie un peu trop fort mon pied par terre. »

Chen a tout de suite compris comment me soulager :

« Écoute, Cédric, voilà ce qu'on va faire : tu vas t'appuyer sur moi, comme ça, ton pied ne fera plus qu'effleurer le sol.

— Ah bon, tu crois ? »

J'ai dit ça, mais au fond de moi, je savais que c'était une occasion rêvée pour me rapprocher encore de ma petite Chinoise préférée. J'ai glissé ma main par-dessus son épaule, et je l'ai

laissée passer sa main à elle autour
de ma taille. Ce n'est pas pour être
prétentieux, mais on faisait un
rudement beau couple, tous les deux.
On est allés se promener jusqu'à
l'autre bout du parc, lentement,
tendrement, en amoureux, quoi.

On est bien restés un quart d'heure
ensemble, sur notre petit nuage rien
qu'à nous. Et puis le destin nous a rat-
trapés, faisant brutalement éclater
notre bulle de bonheur :

« Mince de mince ! Ben dis donc,
mon pauvre vieux, tu t'es drôlement

bien amoché… »

Christian venait de nous retrouver. Il s'est penché sur mon genou et a fait la moue. Ensuite, il a secoué la tête et il a dit à Chen :

« Laisse, Chen ! C'est pas un truc de fille, ça… Te fatigue pas, je vais le soutenir, moi. »

Avant qu'on ait eu le temps de dire quelque chose, il m'a empoigné en me hissant à moitié sur une de ses épaules. Ce qui est bien avec Chen, mais qui parfois est moins bien, c'est qu'on n'a pas besoin de lui répéter trois fois les

choses. Elle nous a regardés, Christian et moi, et puis elle s'est éloignée d'un pas sec, en disant :

« Très bien, j'ai compris, je vous laisse. »

J'ai bafouillé :

« Mais enfin, Chen, non, je... au contraire ! »

Elle était déjà loin. Christian a ajouté :

« C'est vrai, quoi : les filles, elles ne sont pas assez solides, pour ce genre de trucs ! »

Je l'ai attrapé par le col de son blouson et je l'ai secoué comme un prunier, tout en hurlant les pires insultes que j'avais jamais hurlées à quelqu'un. Il a fait le surpris, en plus :

« EEEEHHH !!! Mais qu'est-ce que j'ai dit, encore ? »

Non mais quelle banane, celui-là ! Un vrai régime de bananes à lui tout seul. Mais des bananes avec juste la peau et pas grand-chose à l'intérieur ! Christian, c'est simple, il ne comprendra jamais rien aux filles. Chen avait tellement insisté pour que je m'appuie sur elle… Il fallait que je la rattrape ! Je me suis élancé en boitillant dans la direction où elle avait disparu, et j'ai appelé :

« Chen ! Chen !!! Attends-moi ! »

Quand je l'ai retrouvée, il ne nous restait plus beaucoup de

temps avant la tombée de la nuit. Alors, elle m'a raccompagné chez moi, tranquillement. Avant de me quitter, elle a dit :

« À demain, Cédric, j'espère que tu iras mieux ! »

J'ai hoché la tête, je lui ai souri, et je l'ai regardée partir. Au fond de moi, je n'étais pas du tout pressé d'aller mieux. Si Chen avait pu me laisser m'appuyer sur elle comme ça pendant des semaines, j'aurais été capable de m'arracher les croûtes du genou tous les jours ! Deux fois par jour, même !

Eh oui, ça dépend pour quoi, mais on est souvent prêt à tout, quand on a huit ans !

La Bibliothèque Rose et Verte te présente La Collec'

LA TÉLÉ DE MOINS DE 7 ANS

1 À la fin de chaque livre des collections ma Première Bibliothèque Rose, Bibliothèque Rose et Bibliothèque Verte, tu découvriras des points à l'image de tes héros préférés.

2 Découpe-les, collectionne-les et reçois des cadeaux : porte-clés, jeu de 7 familles, cassettes vidéo, CD-Rom...

3 Pour obtenir ton bulletin réponse, c'est très simple : Connecte-toi sur le site www.hachettejeunesse.com (rubrique La Collec') ou sur le site www.canalj.net (rubrique partenaires), ou envoie sur papier libre ton nom, prénom et adresse complète à :

Hachette Jeunesse, La Collec' Service Communication 43, quai de Grenelle, 75905 Paris cedex 15

(offre valable dans la limite des stocks disponibles)

Retrouve tes héros préférés sur

 et

Illustrations : Philippe Matter, Christophe Besse, Lucie Durbiano